中华人民共和国国家标准

水泥工厂脱硝工程技术规范

Technical code for denitration project of cement plant

GB 51045-2014

主编部门：国家建筑材料工业标准定额总站
批准部门：中华人民共和国住房和城乡建设部
施行日期：２０１５年８月１日

中国计划出版社

2014 北京

中华人民共和国国家标准

水泥工厂脱硝工程技术规范

GB 51045-2014

☆

中国计划出版社出版

网址：www.jhpress.com

地址：北京市西城区木樨地北里甲11号国宏大厦C座3层

邮政编码：100038 电话：(010) 63906433（发行部）

新华书店北京发行所发行

三河富华印刷包装有限公司印刷

850mm×1168mm 1/32 2印张 50千字

2015年6月第1版 2015年6月第1次印刷

☆

统一书号：1580242·647

定价：12.00元

版权所有 侵权必究

侵权举报电话：(010) 63906404

如有印装质量问题，请寄本社出版部调换

中华人民共和国住房和城乡建设部公告

第 648 号

住房城乡建设部关于发布国家标准 《水泥工厂脱硝工程技术规范》的公告

现批准《水泥工厂脱硝工程技术规范》为国家标准,编号为 GB 51045—2014,自 2015 年 8 月 1 日起实施。其中,第 6.2.6、11.0.3(2)、12.0.2 条为强制性条文,必须严格执行。

本规范由我部标准定额研究所组织中国计划出版社出版发行。

中华人民共和国住房和城乡建设部
2014 年 12 月 2 日

前　言

本规范是根据住房城乡建设部《关于印发〈2013年工程建设标准规范制订修订计划〉的通知》(建标〔2013〕6号)的要求,由中国中材国际环境工程(北京)有限公司、天津水泥工业设计研究院有限公司会同有关单位共同编制完成的。

本规范共分12章,主要技术内容包括:总则、术语、基本规定、总图运输、组织燃烧脱硝系统、烟气脱硝系统、电气自动化、施工及调试、工程验收、运行与维护、环境保护、劳动安全与职业卫生。

本规范中以黑体字标志的条文为强制性条文,必须严格执行。

本规范由住房城乡建设部负责管理和对强制性条文的解释,由国家建筑材料工业标准定额总站负责日常管理,由中国中材国际环境工程(北京)有限公司负责技术内容的解释。本规范在执行过程中如发现需要修改和补充之处,请将意见和有关资料寄至中国中材国际环境工程(北京)有限公司(地址:北京市望京北路16号中材国际大厦;邮政编码:100102),以供今后修订时参考。

本规范主编单位、参编单位、主要起草人和主要审查人:

主 编 单 位：中国中材国际环境工程(北京)有限公司
　　　　　　　天津水泥工业设计研究院有限公司

参 编 单 位：天津中材工程研究中心有限公司
　　　　　　　南京凯盛国际工程有限公司
　　　　　　　北京凯盛建材工程有限公司
　　　　　　　中国葛洲坝集团股份有限公司

主要起草人：沈序辉　李　惠　胡芝娟　俞　刚　杜　飞
　　　　　　　罗　超　马明亮　谢吉优　施敬林　张　浠

	林　莉	唐新宇	程兆环	王永刚	张红娜
	赵利卿	李彭生	胡景瑞	肖　静	孙　鹤
主要审查人:	曾学敏	狄东仁	李安平	丁奇生	文柏鸣
	盛赵宝	孟凡兴	冯志国	孙幸福	嵇　磊

目　次

1 总　则 …………………………………………………… (1)
2 术　语 …………………………………………………… (2)
3 基本规定 ………………………………………………… (3)
4 总图运输 ………………………………………………… (4)
　4.1 总平面布置 ………………………………………… (4)
　4.2 交通运输 …………………………………………… (4)
　4.3 管道布置 …………………………………………… (5)
5 组织燃烧脱硝系统 ……………………………………… (6)
6 烟气脱硝系统 …………………………………………… (7)
　6.1 一般规定 …………………………………………… (7)
　6.2 还原剂储存 ………………………………………… (7)
　6.3 还原剂计量分配系统 ……………………………… (8)
　6.4 SNCR 系统的喷射系统 …………………………… (8)
　6.5 SCR 系统 …………………………………………… (9)
7 电气自动化 ……………………………………………… (11)
　7.1 电气 ………………………………………………… (11)
　7.2 自动化控制 ………………………………………… (11)
　7.3 监测与报警 ………………………………………… (12)
　7.4 数据采集记录 ……………………………………… (13)
8 施工及调试 ……………………………………………… (14)
　8.1 组织燃烧脱硝工程施工 …………………………… (14)
　8.2 烟气脱硝工程施工 ………………………………… (14)
　8.3 电气与自动化控制系统施工 ……………………… (16)
　8.4 脱硝工程的调试运行 ……………………………… (16)

9 工程验收	(19)
10 运行与维护	(21)
10.1 一般规定	(21)
10.2 人员与运行管理	(21)
10.3 维护保养	(23)
11 环境保护	(24)
12 劳动安全与职业卫生	(25)
本规范用词说明	(26)
引用标准名录	(27)
附:条文说明	(29)

Contents

1 General provisions ································· (1)
2 Terms ·································· (2)
3 General principles ································· (3)
4 General design and transportion ···················· (4)
    4.1 Design of general layout ······················· (4)
    4.2 Design requirements of roads ····················· (4)
    4.3 Design of pipeline system ······················· (5)
5 Staged combustion system ·························· (6)
6 Flue gas denitration system ······················· (7)
    6.1 General requirements ··························· (7)
    6.2 Storage of reducing agenty ····················· (7)
    6.3 Feeding and dosing of reducing agent ············ (8)
    6.4 Spraying system for slective non-catalytic reduction system ································ (8)
    6.5 Slective catalytic reduction system ·············· (9)
7 Control and monitoring system ···················· (11)
    7.1 General requirements ·························· (11)
    7.2 Automation requirements ······················· (11)
    7.3 Monitoring and alarm requirements ················ (12)
    7.4 Data acquisition and recording requirements ······· (13)
8 Construction and commissioning ···················· (14)
    8.1 Construction requirements for staged combustion ··· (14)
    8.2 Construction requirements for flue gas denitration ······· (14)
    8.3 Construction requirements for electrical equipment ······· (16)

8.4　Commissioning of the entire system	(16)
9　Acceptance	(19)
10　Operation and maintenance	(21)
10.1　General requirements	(21)
10.2　Organization and operation management	(21)
10.3　Maintenance	(23)
11　Environmental protection	(24)
12　Occupation safety and health	(25)
Explanation of wording in this code	(26)
List of quoted standards	(27)
Addition: Explanation of provisions	(29)

1 总　　则

1.0.1 为在水泥工厂脱硝工程中规范脱硝工程的设计、施工、验收及运行维护，做到安全可靠、技术先进、经济合理、保护环境，制定本规范。

1.0.2 本规范适用于新型干法水泥熟料生产线新建、改建和扩建的脱硝工程的设计、施工、验收及运行维护。

1.0.3 水泥工厂脱硝工程的工艺应根据水泥窑系统的工艺条件确定。

1.0.4 水泥工厂脱硝工程的设计、施工、验收及运行维护除应符合本规范的规定外，尚应符合国家现行有关标准的规定。

2 术　语

2.0.1 组织燃烧　staged combustion

在水泥窑煅烧过程中，通过分批梯次加入助燃空气或燃料控制燃烧过程，减少氮氧化物生成的一种脱硝技术。

2.0.2 燃料分级燃烧　staged-fuel combustion

将燃料从窑尾烟室至分解炉的不同位置梯次送入，通过不完全燃烧形成局部高温还原性气氛，抑制氮氧化物的生成，并部分还原已生成的氮氧化物的技术措施。

2.0.3 三次风分级助燃　staged-air staged combustion

将三次风从分解炉的不同位置梯次送入，通过不完全燃烧形成局部高温还原性气氛，抑制氮氧化物的生成，并部分还原已生成的氮氧化物的技术措施。

2.0.4 选择性非催化还原法　selective non-catalytic reduction(SNCR)

在特定的温度窗口，不使用催化剂的条件下，利用还原剂有选择地与烟气中的氮氧化物发生化学反应，生成氮气、水和二氧化碳的方法，简称 SNCR。

2.0.5 选择性催化还原法　selective catalytic reduction(SCR)

在催化剂的作用下，利用还原剂有选择性地与烟气中的氮氧化物发生化学反应，生成氮气和水的方法，简称 SCR。

3 基本规定

3.0.1 水泥工厂脱硝工程不得影响水泥熟料的生产。

3.0.2 脱硝工程工艺的选择应满足当地环保标准要求。脱硝工程应优先采用组织燃烧脱硝技术;采用烟气脱硝技术、脱硝效率要求大于或等于70%时,可采用选择性非催化还原法(SNCR)/选择性催化还原法(SCR)联合脱硝工艺,也可单独采用 SCR 工艺;脱硝效率要求小于70%时,可采用 SNCR 工艺,但宜预留 SNCR/SCR 联合脱硝工艺的条件。

3.0.3 脱硝装置应与水泥窑同步运行。

3.0.4 烟气脱硝还原剂可选用浓度小于25%的氨水,也可选用尿素或氨基废液等。

3.0.5 脱硝装置所需电源、水源、气源、汽源宜由水泥熟料生产线主体工程提供。

3.0.6 脱硝工程的施工不得破坏水泥工厂现有建筑物、构筑物的结构,不得削弱建筑物的荷载承受能力。建筑物内因增加设施形成荷载时,应进行荷载核算。荷载超重时应对建筑物进行加固处理。

4 总图运输

4.1 总平面布置

4.1.1 脱硝工程总平面布置应与水泥熟料生产线总平面布置相协调,并应满足维护、管理及安全的要求。

4.1.2 还原剂储存设施的防火间距应符合现行国家标准《建筑设计防火规范》GB 50016 的有关规定。其中,尿素储库的防火间距应按丙类建筑耐火等级执行,氨水储罐、尿素溶液储罐的防火间距应按丙类液体储罐的规定执行。

4.1.3 还原剂储存设施的布置应符合下列规定:
    1 宜布置在厂区全年最小频率风向的上风侧;
    2 应单独布置在通风良好、有利于消防救援的安全地带;
    3 应避开明火或散发火花的地点及厂区主要人流集中区域;
    4 应便于氨水意外泄漏的排放及回收。

4.1.4 尿素溶解车间宜布置在热源附近。

4.1.5 还原剂储存设施的防洪要求应符合现行国家标准《防洪标准》GB 50201 和《水泥工厂设计规范》GB 50295 的有关规定。

4.2 交通运输

4.2.1 脱硝工程道路设置应满足交通运输、安装检修、消防、安全卫生等方面的要求,并应与水泥工厂内的道路布置、路面类型及结构相协调。

4.2.2 还原剂的装卸场地应采用混凝土地面,且应满足运输车辆的卸车、回车要求。

4.2.3 还原剂储存区域应设置消防车道。

4.3 管道布置

4.3.1 还原剂储罐区域管道布置不应影响消防通道、紧急疏散通道的畅通。

4.3.2 还原剂溶液输送管道的布置应符合下列规定：

1 管道综合布置应根据总平面布置、管内介质、施工及维护检修等因素确定。

2 还原剂管道、压缩空气管道宜采用综合架空方式敷设。

3 还原剂管道、压缩空气管道埋地穿路施工时，应采取管涵、套管或其他防护措施，管道应埋设在土壤冰冻线以下。还原剂溶液管道不得与电力电缆、热力管道敷设在同一管沟内。

4 管道阀门宜集中布置，并应预留安全操作空间。

5 还原剂输送管道应有 0.3%～0.5%的坡度，坡向应有利于还原剂溶液排出。

6 寒冷地区的管道应采取保温或伴热措施。

5 组织燃烧脱硝系统

5.0.1 组织燃烧脱硝系统应能适应水泥熟料生产过程中原料、燃料的品质变化及熟料产量、质量的波动。

5.0.2 组织燃烧脱硝技术的脱硝效率应大于15%。

5.0.3 燃料分级燃烧技术除应做燃料的工业分析检测外,还应检测燃料的含氮量及入窑热生料的有害元素。

5.0.4 燃料分级燃烧技术宜依据燃料的燃烧特性调整燃料细度。

5.0.5 燃料分级燃烧技术宜采用多层多点方式加入燃料,还原燃烧区域和主燃烧区域的燃料宜独立输送、计量。

5.0.6 三次风分级助燃技术宜采用双层多点方式加入,上行三次风的分风量应能进行调整。

5.0.7 组织燃烧脱硝系统还原燃烧区域的过剩空气系数宜为0.80~0.95,烟气在高温还原燃烧区域的停留时间不宜低于0.4s。

5.0.8 采用组织燃烧脱硝时,在保证窑炉工况稳定的基础上,应合理保持回转窑与分解炉的风量平衡。窑尾烟室的氧气浓度宜控制在2.5%以下,窑尾预热器出口宜控制在3%以下。

5.0.9 水泥窑系统应选择低NO_x燃烧器,相关参数应依据燃料的燃烧特性、输送要求确定。

6 烟气脱硝系统

6.1 一般规定

6.1.1 烟气脱硝系统的技术指标应根据当地污染物排放控制要求确定。

6.1.2 脱硝工程建筑物的采光宜利用自然光。

6.1.3 脱硝工程建筑物宜采用半敞开式厂房；采用封闭式厂房时，应设置排气烟囱或天窗，并应设置每小时换气不少于8次的机械通风设施。

6.2 还原剂储存

6.2.1 储罐区宜避开邻近建筑物的出入口，当不能满足要求时，出入口与储罐的间距应在防火间距控制要求的基础上增加3m。

6.2.2 还原剂储罐应分组布置，每组储罐的数量不得大于4台。

6.2.3 还原剂储罐区域应设置围堰或泄漏事故排放池，围堰或泄漏事故排放池的有效容积应大于最大单罐的有效容积。

6.2.4 还原剂储罐区域应设检修平台。

6.2.5 还原剂卸料泵宜设置备用泵，氨水的输送宜采用防腐、防爆泵。

6.2.6 氨水的卸料、储存系统应密封，还原剂储罐应配置用于吸收逃逸氨气的水封装置。

6.2.7 还原剂的储存量不应少于3d的消耗量，储罐不宜少于2个。

6.2.8 还原剂储存罐应配置人孔门、带有阀门的进出氨水接口、排污阀、防爆型液位计、压力表、温度计、单向进气阀。

6.2.9 尿素晶体的储存、溶解应符合下列规定：

1 散装颗粒尿素宜采用罐车运输、储仓储存；袋装颗粒尿素可不设储仓，但堆存处应防曝晒、防高温、防潮、防雨淋和防洪。

　　2 尿素溶解罐宜配置两台混合泵，一用一备。混合泵泵体材质宜为不锈钢。

　　3 尿素溶解罐的容积应满足 4h 消耗量的要求，尿素溶解罐应设伴热装置，罐体外应保温。尿素溶解宜采用软化水。

　　4 尿素颗粒宜设置计量装置，且计量装置到尿素溶解罐间宜设置截断装置和清堵装置。

6.2.10 寒冷地区还原剂储存区域的采暖应纳入全厂集中供暖系统，还原剂储存输送车间的冬季采暖应按值班采暖温度 5℃设计。

6.3　还原剂计量分配系统

6.3.1 还原剂的提升泵及喷射泵可采用离心泵、螺杆泵、旋涡泵。泵设计工作流量宜按还原剂计算用量的 110% 配置，扬程宜按 120% 配置。

6.3.2 还原剂的提升泵及喷射泵应配置备用泵。

6.3.3 还原剂溶液的输送及喷射系统应配置多层级的管道过滤器，还原剂溶液中的固体杂质粒度不得大于 0.2mm。

6.3.4 还原剂的喷射量应跟踪烟气氮氧化物的排放值，进行反馈自动调节。

6.3.5 还原剂的流量调整宜采用变频电机驱动的水泵，流量分配系统应配置压力检测装置。

6.3.6 计量分配及输送管道应配置压缩空气清扫装置。

6.4　SNCR 系统的喷射系统

6.4.1 SNCR 系统的还原剂消耗量应根据系统本底的 NO_x 浓度、脱硝效率、氨氮比等因素综合确定。

6.4.2 喷射系统除设有自动调节模式外，还应设置手动调整模式。

6.4.3 SNCR系统宜采用双流体雾化喷枪。喷枪的位置应根据还原剂的类型、温度窗口、燃烧状况等因素确定,喷入分解炉的还原剂在温度窗口停留的时间应大于0.5s。喷枪宜配置冷却装置。

6.4.4 喷枪雾化用压缩空气应配置压力检测装置。

6.4.5 喷射系统的安装和维护宜利用现有的窑尾平台。

6.4.6 烟气脱硝反应区宜配置温度仪表。

6.5 SCR系统

6.5.1 SCR系统设计应满足下列要求:

    1 设计脱硝效率不应低于90%;

    2 SCR反应塔内SO_2转化为SO_3的转化率不得高于1%。

6.5.2 SCR反应塔的设计应符合下列规定:

    1 SCR反应塔的空塔风速宜为3m/s～6m/s;

    2 SCR反应塔内催化剂应设置多层初装层,采用模块化布置,并应预留1层～2层的备用层,各层的技术要求应一致;

    3 反应塔内应设置烟气稳流装置或分流均布装置;

    4 反应塔宜设置为烟气垂直流动模式,反应塔内应设置灰斗及清灰设施,反应塔内的加强筋板、支架应采用防积灰设计。

6.5.3 催化剂的选择应符合下列规定:

    1 催化剂的选择应依据SCR喷射区域烟气特性、飞灰特性、反应塔型式、脱硝效率指标、氨逃逸控制指标、现有尾气处理系统风机余量、催化剂对有害成分的适应性、催化剂的使用寿命等条件确定。

    2 催化剂可选用蜂窝式、板式、波纹式等形式。催化剂的形式、催化剂中各活性组分的含量、催化剂的孔径、节距应依据反应温度、烟气成分、飞灰成分、飞灰浓度等因素确定。

    3 催化剂应采用模块化封装,每层催化剂应预留3套以上可拆卸测试部件。

6.5.4 SCR雾化可采用氨水/空气雾化混合模式,也可采用氨气/空气混合模式。氨气/空气混合模式下氨气的体积比浓度不宜大于7%,氨气的体积比浓度大于12%时,SCR系统应能自动切断还原剂供给。

6.5.5 可活化再生的失效催化剂,若鉴别为非危险废物,宜送至专业厂家做再生处理。

7 电气自动化

7.1 电　气

7.1.1 采用封闭厂房储存还原剂时,厂房内的电气设计应符合现行国家标准《爆炸危险环境电力装置设计规范》GB 50058 的有关规定,并应按 2 区爆炸性气体环境危险区域设计,且应采用防爆型电机,现场仪表应选用隔爆型或本安型产品,电气设备应采用防腐、防爆型。

7.1.2 还原剂储存厂房的防雷设计应符合现行国家标准《建筑物防雷设计规范》GB 50057 中二类防雷建筑的有关规定。

7.1.3 低压供配电应采用 TN-S 系统。

7.1.4 还原剂储存区域内应设置火灾感温感烟探测器,应能自动切断电源。

7.1.5 电气控制柜不应布置在还原剂储存罐所在厂房内。

7.1.6 脱硝系统电缆敷设应符合现行国家标准《低压配电设计规范》GB 50054 的有关规定。

7.1.7 氨气泄漏检测器的选型、安装及报警信号设置应符合现行国家标准《石油化工可燃气体和有毒气体检测报警设计规范》GB 50493 的有关规定。

7.2 自动化控制

7.2.1 脱硝系统应采用集中监控方式。

7.2.2 脱硝系统与水泥熟料生产线同步建设时,应纳入水泥熟料生产线烧成或废气处理自动化控制系统,不得单独设置脱硝控制室。现有生产线增设脱硝系统时,宜在中央控制室内设立脱硝中控平台。

7.2.3 现有水泥熟料生产线进行烟气脱硝技术改造时,脱硝系统应采用可编程逻辑控制器(PLC)控制,并应与水泥熟料生产线分布式控制系统(DCS)实现数据通讯。

7.2.4 中央控制室应能实现所有脱硝设备的启动、停止、监控及异常工况的诊断处理。控制方式可采用现场控制与中央集中控制两种运行模式。

7.2.5 脱硝控制系统应具备数据采集及处理、自动控制、程序保护、联动联锁等功能。

7.2.6 脱硝系统的自动控制回路应根据水泥熟料生产线现有烟气监控信号与脱硝系统设计烟气排放信号的延时滞后特性进行设置。

7.2.7 脱硝工程电气设备应为二级负荷,供电电源宜取自窑尾电气室供配电系统,并宜实行专线供电。

7.3 监测与报警

7.3.1 脱硝控制系统的监测数据应包括生产负荷、脱硝反应区温度、烟囱烟气流量、烟气温度、烟气含氧量、氮氧化物浓度、氨逃逸浓度、还原剂喷入量、还原剂储罐液位等参数。

7.3.2 氨水储存区域应设置氨气泄漏检测器及声光报警装置,报警信号应在中央控制室及现场同步显现,现场氨气浓度大于或等于 $30mg/m^3$ 时应能自动报警。

7.3.3 脱硝系统报警信号应包括下列种类:
 1 水泥窑系统自身工况严重偏离正常运行范围报警;
 2 脱硝系统主要设备的保护动作及主要辅助设备故障报警;
 3 监控系统故障报警;
 4 电源、气源故障报警;
 5 氨气逃逸值超限报警;
 6 电气设备故障报警;
 7 液位限位报警;

8 感温、感烟报警；
9 喷枪用压缩空气最小压力或流量报警；
10 烟气氮氧化物浓度超标报警。

7.4 数据采集记录

7.4.1 脱硝系统应配置在线烟气监测系统（CEMS）及数据采集记录系统，采集参数应包括脱硝反应区温度、烟囱烟气流量、烟气温度、烟气含氧量、氮氧化物浓度、氨逃逸浓度、还原剂喷入量、还原剂储罐液位、生产负荷等生产参数。

7.4.2 数据采集记录相关数据应至少保留1年。

7.4.3 脱硝系统数据采集的频率不得低于每小时2次。所有采集信息可通过趋势曲线、文本或表格方式显示并打印输出。

8 施工及调试

8.1 组织燃烧脱硝工程施工

8.1.1 三次风管道的改造施工应符合下列规定：

1 新增或整改三次风管应在安装前对风管各支段长度进行实测，并应依据风管支撑点设备尺寸加上热膨胀量，对原设计图纸加以修正；

2 风管与膨胀节进行连接安装时，应根据实际所需的热膨胀量对膨胀节进行预先拉伸并与风管筒体连接；

3 风管现场焊接的焊缝应严密，不得漏气，在膨胀节与风管连接的部件焊接时不得在膨胀节的波片上起弧，焊接飞溅物不得落到波片上。

8.1.2 翻板阀、闸板阀应检查、调整至灵活可靠后方可安装。

8.2 烟气脱硝工程施工

8.2.1 设备基础施工完毕应进行交安验收，并应填写交安记录。基础验收应达到施工要求后方可进行设备安装，基础周围土方回填时应夯实、填平。

8.2.2 设备就位前应对设备基础进行修整处理，并应符合下列规定：

1 需要灌浆的基础表面应凿成麻面，被油污染的混凝土应铲除；

2 放置垫铁找平的混凝土表面以及垫铁周边50mm范围内的混凝土表面应铲平；

3 清除预留地脚螺栓孔内杂物后，应核实设备螺栓孔的尺寸之后再置入地脚螺栓、灌入灰浆。

8.2.3 采用垫铁进行设备找平时，平垫铁应露出设备支座底板外缘10mm～20mm，斜垫铁应露出设备支座底板外缘20mm～30mm。每一垫铁组内各垫铁间应用定位焊焊牢。

8.2.4 设备与底座之间无紧固件连接，仅利用设备自身重量坐落在底座承重面上时，底座承重面相对于水平面的平行度偏差不得超过0.5mm/m。

8.2.5 设备进行吊装安装时应严格按照吊装方案执行，设备的接管或附属结构不得因吊装索具的压力或拉力受到损伤。

8.2.6 设备安装的找平应根据要求用垫铁或其他专用调整件调整，不得使用紧固或者放松地脚螺栓及局部加压的方法找平。

8.2.7 设备平台、斜梯、直梯、支架等附属构件进行现场组装或制造时，应按技术文件及现行国家标准《钢结构工程施工质量验收规范》GB 50205的有关规定执行。

8.2.8 储罐附件的安装应符合下列规定：

1 附件安装前应按施工图或技术文件的规定对储罐进行检查，并应清除储罐内部铁锈、泥沙、灰尘、木块、边角料和焊渣等杂物；

2 液位计垂直于水平面的允许偏差应满足设计图和技术文件规定的要求；

3 安装喷淋装置时，应对喷雾孔的大小进行检查，喷孔不得堵塞，喷头应安装牢固，中心偏差不应超过±15mm。

8.2.9 泵的安装应符合下列规定：

1 泵的主要零部件和附属设备应按技术文件的规定进行外观检查，使用清水冲洗后的零部件在清除水分后应涂上润滑油，并应按装配的顺序分类放置。

2 泵填料密封径向间隙应符合设备技术文件的规定。所有的轴密封间隙和接触要求应符合设备技术文件的规定，当无规定时，应符合现行国家标准《机械设备安装工程施工及验收通用规范》GB 50231的有关规定。

3 泵的试运转采用清水作为介质时，水流量不应小于额定值,试运转时间不应小于2h。高寒地区可采用聚乙二醇等防冻剂替代清水进行试运转。

8.2.10 还原剂输送管道工程的施工应符合现行国家标准《工业金属管道工程施工规范》GB 50235的有关规定。

8.3 电气与自动化控制系统施工

8.3.1 水泥工厂脱硝工程的电气装置施工及安装应符合现行国家标准《电气装置安装工程低压电器施工及验收规范》GB 50254、《电气装置安装工程电缆线路施工及验收规范》GB 50168和《建筑电气工程施工质量验收规范》GB 50503的有关规定。

8.3.2 电源线宜与信号线、控制线分开敷设。信号线与电源线在同一个缆架内敷设时,应设置屏蔽保护设施。

8.3.3 传感器的接线应牢固可靠、接触良好。信号线、控制线进入接线盒应做二次防护处理。

8.4 脱硝工程的调试运行

8.4.1 脱硝工程的调试运行应按单机空载试运转、空载联动试运转、荷载联动试运转、系统优化调试四个阶段进行。

8.4.2 单机空载试运转、空载联动试运转的组织、指挥和操作,应由施工单位、设计单位负责进行,建设单位参加,经试运转合格后办理工程交工验收手续,移交建设单位。荷载联动试运转、系统优化调试阶段的设备保管、维护和荷载联动试运转、系统优化调试工作的组织、指挥和操作等,应按照脱硝工程合同的约定条件,由建设单位、设计单位负责进行,施工单位参加。

8.4.3 单机空载试运转、空载联动试运转、荷载联动试运转工作,应由设计单位、施工单位和建设单位配合完成,试运转程序应严格按工艺流程顺序执行。

8.4.4 试运转前的准备工作应包括下列内容:

  1 检查设备及容器的内腔,不得有杂物、施工遗留物及安装固定物；

2 单机试运转前应完成电气设备的检查、试验、检定工作,并应确认设备性能良好、符合设计要求；

3 检查设备基础、地脚螺栓、联接螺栓、键销等固定件的紧固；

4 检查所有运转部件或设备的安全防护,检查各润滑系统和传动部件,并应按设备技术文件的要求加入适量的润滑油、脂；

5 检查供水、供气、供热管道,清除供水、供气、供热管道内杂物,试车前应先进行试水、试压工作,对所有的阀门管道应进行气密性、水密性检查,并应确认动作灵活、开关位置及安装方向正确；

6 采用氨水、尿素溶液作为还原剂时,应以清水为介质进行雾化系统的流量、压力控制系统检定和雾化效果检查；

7 检查有供水、供气、供热需求的设备时,应确保水压、气压、温度能达到正常开机要求。

8.4.5 脱硝工程联动试运转应具备下列条件：

1 试运行范围内的工程应已按设计文件规定全部建成,并应按施工验收规范的标准检验合格；

2 应已建立脱硝工程生产管理机构,各级岗位责任制度应已制定,有关记录报表应已配备；

3 脱硝工程试运行组织应已建立,参加试运行人员应已通过安全生产培训并通过考核；

4 试运行方案和生产操作规程应已获批准；

5 应已建立脱硝工程的安全管理制度和事故应急处理预案,安全防护装备应已配备齐全,并应至少进行了1次安全紧急演练；

6 应划定试运行安全区域,并应设置安全警示标牌,非操作人员不得进入划定区域；

7 试运行所需燃料、水、电、气等应确保稳定供应,各种物资和测试仪表、工具应已齐备。

8.4.6 空载联动试运转及荷载联动试运转应符合下列规定：

1 采用自动连锁控制的烟气脱硝工程,应进行空载联动试运转;

2 空载联动试运转应以电气连锁动作测试 3 次无误为合格;

3 机械设备的单机试运转时间应控制在 4h 以上,没有明确规定轴承温度许可值的设备,轴承的温度不得超过 70℃;

4 设备试运转过程中应观察设备的振动情况,设计技术文件有要求的应按照规定进行设备振动的数据检查并记录;

5 与水泥熟料生产线关联的热工设备试运转应在开启前向建设单位提出试运转申请,并应配合水泥窑系统操作进行热工参数的相应调整,高温阀门应在正常的生产工作条件下进行开关作业调整,并应实现动作灵活、开关位置准确,阀门显示方向应与实际方向一致,显示开度应与实际开度一致;

6 系统的空载联动试运转应同步进行电气仪表的校准检定工作,并应完成相应的设备检查记录;

7 烟气脱硝系统的空载联动试运转可采用清水作为介质进行,清水空载联动试运转结束前,储罐内不得加入氨水、尿素等还原剂,试运转的时间不应低于 4h;

8 烟气脱硝系统试运转时应同步进行电气系统的连锁模式调整,对液位计、电动阀门的开度、流量、压力的控制应依据试运转运行情况进行测试和调整。

9 工程验收

9.0.1 脱硝工程安装施工完成后应进行设备的运转检查,并应对所有在线仪表进行校验,设备安装检查及仪表校验应出具相应的记录。

9.0.2 试生产应在完成整体调试、确认各系统运转正常、技术指标达到设计和合同要求后方可启动。

9.0.3 脱硝工程应在按设计文件完成施工和性能考核合格且质保资料齐全后方可进行验收。

9.0.4 脱硝工程验收前,应在系统热态调试结束后对脱硝系统完成连续72h(或按合同约定的条件)的试运行验收测试或考核。

9.0.5 脱硝工程在调试或试生产期间编写的脱硝系统性能考核报告或性能测试报告,可作为工程竣工环境保护验收的技术支持文件。

9.0.6 脱硝系统性能考核报告或性能测试报告应包括下列参数:

1 合同约定的脱硝工程脱硝效率及还原剂消耗量;
2 最大脱硝效率达成指标;
3 正常生产运行时的氨气平均逃逸浓度水平;
4 脱硝工程运行后水泥熟料生产线产量、质量、能耗对比情况;
5 脱硝工程运行的系统电耗、水耗、气耗指标;
6 采用烟气脱硝技术时,在额定脱硝效率下的NH_3/NO_x摩尔比或单位熟料产量对应的还原剂消耗指标;
7 采用组织燃烧脱硝技术时,应注明采用燃料分级燃烧、三次风分级助燃、低NO_x燃烧器等脱硝技术后的脱硝效率水平。

9.0.7 系统满负荷试运行考核,应经施工单位、建设单位、设计单位三方确认,整套系统技术指标应达到设计要求和合同约定。

9.0.8 脱硝工程应严格执行设备验收制度,项目完成后应将随箱资料移交建设单位。

10 运行与维护

10.1 一般规定

10.1.1 未经当地环境保护行政部门许可,不得中止脱硝系统的正常运行。由于紧急事故、故障或遇水泥熟料生产线正常的定期检查工作等导致脱硝系统停止运行时,应向当地的环境保护行政主管部门报告。

10.1.2 脱硝工程运行期间,应按设计要求定期对各类机械设备、电气设备、自控仪表和建(构)筑物进行检查维护。

10.1.3 脱硝工程的运行应建立与运行维护相关的各项管理制度,采用在线记录的,应至少保留1年的可追溯记录。

10.1.4 脱硝岗位员工应熟悉脱硝工艺和设施的运行维护要求,并应通过岗前培训考核上岗、熟练掌握操作技能、执行操作规程。

10.2 人员与运行管理

10.2.1 脱硝系统的运行管理应纳入水泥熟料生产线的运行管理体系。

10.2.2 脱硝系统的运行人员可由水泥窑现有的生产操作人员兼任,但应至少设置1名兼职的脱硝技术管理人员。

10.2.3 脱硝工程的管理及运行人员应每季度进行1次操作技能与安全知识的培训。脱硝工程的安全应急预案应每年演练1次以上。

10.2.4 脱硝工程运行操作人员的岗前专业培训应包括下列内容:

    1 系统启动前的检查及系统的连锁条件;

  2　脱硝系统主要设备的正常运行操作，设备的开停作业程序；

  3　脱硝系统的控制、报警和运行状态的指示及检查和操作要领；

  5　脱硝系统运行时主要操作参数的正常范围；

  4　脱硝效率调整的操作要点；

  6　脱硝系统操作对水泥窑系统操作的基本要求；

  7　脱硝系统设备主要故障的处理和紧急状态下的操作处理；

  8　设备日常和定期维护的主要工作内容；

  9　脱硝系统及设备的运行维护及其他各类记录、报告制度；

  10　脱硝系统在线监测数据与水泥窑系统优化操作之间的关联和相互影响原则。

10.2.5　脱硝系统的运行状况和生产活动记录应建立符合环境保护管理部门要求的记录制度。

10.2.6　脱硝系统的运行状况和设施维护、生产活动应记录下列内容：

  1　在生产日志上体现的脱硝系统启动、停止时间；

  2　在生产日志上记录还原剂到厂时间、数量、质量分析数据；

  3　脱硝系统运行工艺操作参数记录；

  4　在生产线设备巡检维护记录上体现脱硝系统主要设备的运行维护记录；

  5　通过窑尾烟囱出口的在线监控仪器记录的烟气连续排放监测数据；

  6　体现在生产日志上的脱硝系统生产事故和处置情况记录；

  7　在生产线大修维护计划上单列的脱硝系统设备维护更换清单；

  8　应急药品及安全劳保用品的消耗、更换记录。

10.2.7　SCR脱硝系统应按照设计文件要求、催化剂产品运行管理要求，制定SCR催化剂的安全管理规定。

10.3 维护保养

10.3.1 脱硝系统的运行维护应纳入水泥工厂的维护保养计划中,检修时间应与水泥熟料生产线的定检、中修、大修同步。

10.3.2 脱硝系统应依据脱硝工程调试及试运行阶段由设计单位和设备供应商提供的系统、设备资料,制定相应的维护保养制度。

10.3.3 脱硝系统的维护保养工作应包括正常运行时的检查、管路和设备清扫、定期加注和更换润滑油(脂)。采用烟气脱硝技术的脱硝工程应依据喷枪的工作寿命,建立更换计划和采购维护计划、做好维护记录。

10.3.4 脱硝系统在检修时应做好安全防范工作、切断设备电源。进入储罐检修前,应按操作要求进行清洗和换气处理,并应设置工作警示牌;进行电气检修前应执行申报制度,检修时应挂牌作业。

10.3.5 SCR系统的催化剂活性下降导致脱硝效率不达标时,SCR系统应加装或更换催化剂。

11 环境保护

11.0.1 水泥工厂脱硝工程污染物排放应符合现行国家标准《水泥工业大气污染物排放标准》GB 4915 及《大气污染物综合排放标准》GB 16297 及当地环保部门制定的大气污染物排放标准的有关规定。

11.0.2 烟气脱硝工程应控制二次污染物的排放。

11.0.3 失效催化剂的处置应符合下列规定：

　　1 失效催化剂应按国家规定的危险废物鉴别标准和鉴别方法进行鉴定。

　　2 属于危险废物的失效催化剂，应存放在危险废物专用储存设施内。危险废物专用储存设施的设计应符合现行国家标准《危险废物贮存污染控制标准》GB 18597 的有关规定。

　　3 不属于危险废物的失效催化剂应集中堆存、妥善保管、统一回收，其中，可活化再生的失效催化剂应按本规范第 6.5.5 条规定执行。

11.0.4 氨气逃逸指标应符合现行国家标准《水泥工业大气污染物排放标准》GB 4915 的有关规定，工艺设计应根据烟气脱硝反应温度、停留时间等工艺参数波动对氨气逃逸的影响作出综合应对方案。

12 劳动安全与职业卫生

12.0.1 水泥工厂应制定脱硝系统的应急救援处置预案及劳动安全和职业卫生管理规定。

12.0.2 还原剂储存区域应配置氨气泄漏检测器、淋浴器、洗眼器及风向标识。

12.0.3 脱硝系统的劳动安全和职业卫生设施应与脱硝系统同时设计、同时建设、同时投入使用,脱硝系统的安全管理应符合现行国家标准《生产过程安全卫生要求总则》GB/T 12801 的有关规定。

12.0.4 脱硝系统的噪声控制限值应符合现行国家标准《工业企业厂界环境噪声排放标准》GB 12348 及《工业企业噪声控制设计规范》GB/T 50087 的有关规定。

12.0.5 还原剂储罐应配置喷淋降温装置。

12.0.6 脱硝工程应配备职业病防护设备、防护用品。

12.0.7 脱硝工程车间内氨气浓度限值应符合国家对工作场所职业接触化学有害因素限值的有关要求。

12.0.8 还原剂储存区域应在储罐、泵等主体设备的醒目位置设置警示标识,并应有防护措施。还原剂储罐应设置室外消防措施。氨水储存区域应设置逃生方向标识及事故紧急救治设施位置标识。标识的设置应符合现行国家标准《消防安全标志设置要求》GB 15630 的有关规定。

12.0.9 在事故易发处应设置安全标志,标志的设置应符合现行国家标准《安全标志及其使用导则》GB 2894 的有关规定。安全标志的颜色应符合现行国家标准《安全色》GB 2893 的有关规定。

12.0.10 还原剂储存区域的消防应纳入水泥工厂消防系统,消防用水应由厂区的消防用水系统提供。

本规范用词说明

1 为便于在执行本规范条文时区别对待,对要求严格程度不同的用词说明如下:
  1)表示很严格,非这样做不可的:
    正面词采用"必须",反面词采用"严禁";
  2)表示严格,在正常情况下均应这样做的:
    正面词采用"应",反面词采用"不应"或"不得";
  3)表示允许稍有选择,在条件许可时首先应这样做的:
    正面词采用"宜",反面词采用"不宜";
  4)表示有选择,在一定条件下可以这样做的,采用"可"。
2 条文中指明应按其他有关标准执行的写法为:"应符合……的规定"或"应按……执行"。

引用标准名录

《建筑设计防火规范》GB 50016
《低压配电设计规范》GB 50054
《建筑物防雷设计规范》GB 50057
《爆炸危险环境电力装置设计规范》GB 50058
《工业企业噪声控制设计规范》GB/T 50087
《电气装置安装工程电缆线路施工及验收规范》GB 50168
《防洪标准》GB 50201
《钢结构工程施工质量验收规范》GB 50205
《机械设备安装工程施工及验收通用规范》GB 50231
《工业金属管道工程施工规范》GB 50235
《电气装置安装工程低压电器施工及验收规范》GB 50254
《水泥工厂设计规范》GB 50295
《石油化工可燃气体和有毒气体检测报警设计规范》GB 50493
《建筑电气工程施工质量验收规范》GB 50303
《安全色》GB 2893
《安全标志及其使用导则》GB 2894
《水泥工业大气污染物排放标准》GB 4915
《工业企业厂界环境噪声排放标准》GB 12348
《生产过程安全卫生要求总则》GB/T 12801
《消防安全标志设置要求》GB 15630
《大气污染物综合排放标准》GB 16297
《危险废物贮存污染控制标准》GB 18597

中华人民共和国国家标准

水泥工厂脱硝工程技术规范

GB 51045-2014

条 文 说 明

制 订 说 明

《水泥工厂脱硝工程技术规范》GB 51045—2014，经住房城乡建设部 2014 年 12 月 2 日以第 648 号公告批准发布。

本规范在编写过程中，编制组对我国水泥工业脱硝情况进行了调查研究，总结了我国水泥行业脱硝工程建设的实践经验，同时参考了国外先进技术法规、技术标准。

为便于广大设计、施工、科研、学校等单位有关人员在使用本规范时能正确理解和执行条文规定，编制组按章、节、条顺序编制了本规范的条文说明，对条文规定的目的、依据，以及执行中需注意的有关事项进行了说明，还着重对强制性条文的强制性理由作了解释。但是，本条文说明不具备与规范正文同等的法律效力，仅供使用者作为理解和把握规范规定的参考。

目 次

1 总 则 …………………………………………… (35)
2 术 语 …………………………………………… (36)
3 基本规定 ………………………………………… (37)
4 总图运输 ………………………………………… (38)
    4.1 总平面布置 ………………………………… (38)
    4.3 管道布置 …………………………………… (38)
5 组织燃烧脱硝系统 ……………………………… (39)
6 烟气脱硝系统 …………………………………… (42)
    6.1 一般规定 …………………………………… (42)
    6.2 还原剂储存 ………………………………… (42)
    6.3 还原剂计量分配系统 ……………………… (43)
    6.4 SNCR 系统的喷射系统 …………………… (44)
    6.5 SCR 系统 …………………………………… (44)
7 电气自动化 ……………………………………… (46)
    7.1 电气 ………………………………………… (46)
    7.2 自动化控制 ………………………………… (46)
    7.3 监测与报警 ………………………………… (47)
    7.4 数据采集记录 ……………………………… (47)
8 施工及调试 ……………………………………… (48)
    8.2 烟气脱硝工程施工 ………………………… (48)
    8.3 电气与自动化控制系统施工 ……………… (48)
    8.4 脱硝工程的调试运行 ……………………… (48)
9 工程验收 ………………………………………… (49)
10 运行与维护 ……………………………………… (50)

10.2	人员与运行管理 ……………………………………	（50）
10.3	维护保养 ……………………………………………	（51）
11	环境保护 ………………………………………………	（52）
12	劳动安全与职业卫生 …………………………………	（53）

1 总　　则

1.0.1 本条阐述了编制本规范的目的。随着我国对大气污染物排放控制政策执行的日趋严格,水泥工业脱硝技术应用日益增多。在对国内外水泥工厂脱硝系统设计、施工和运行维护等方面进行调研的基础上,采用编制国家标准的形式规范我国水泥工业燃烧脱硝和烟气脱硝工程的设计、建设、运行管理等工作。

1.0.3 脱硝工程工艺技术的正确选择,不仅可以将水泥熟料生成的负面影响降至最小,也可大大地降低脱硝成本和能源消耗。可积极稳妥地选用新技术、新工艺、新设备,并应以提高脱硝工程的综合效益,降低脱硝工程运行成本,推进技术进步为原则,在充分的技术经济论证基础上确定。同时,还应综合考虑窑型及规模、燃料种类、原料品质、烧成热工制度、还原剂种类和布置场地条件等因素。

2 术 语

2.0.1 组织燃烧主要技术措施包括：燃料分级燃烧、三次风分级助燃。

2.0.4 选择性反应是指较大比例的还原剂与分解炉的烟气中的氮氧化物发生反应。还原剂的主要种类有氨水、尿素溶液、含氨基化合物及含有还原性成分的废弃物溶液等。还原剂的温度窗口是指 SNCR 在这一温度范围内，具有较高的还原剂与氮氧化物的反应效率和较低的还原剂通过烟气逃逸至大气的水平。氨水的温度窗口范围是 850℃～1000℃，尿素溶液的温度窗口范围是 950℃～1100℃，无机铵盐的溶液温度窗口范围是 800℃～950℃。

还原剂一般采用雾化喷射的方式送入燃尽区域，主要依赖气化后的氨气、热解形成的氨气或其他还原性气体作为还原剂与烟气中的氮氧化物发生化学反应，生成氮气、水和二氧化碳。该反应在低温下反应程度不完全，而在过高温度条件下则容易导致还原剂被氧化形成氮氧化物，因此采用选择性非催化还原需要选择合理的温度区域，即所谓的"温度窗口"。

2.0.5 选择性催化还原法将还原剂以雾化喷射的方式送入出预热器烟气中，在催化剂的表面与烟气中的氮氧化物发生化学反应，生成氮气和水。

3 基 本 规 定

3.0.1 采用组织燃烧脱硝技术由于需要调整燃料在回转窑、分解炉内的燃烧进程，并通过控制助燃风的供给及调整生料的分料量等措施，在一定程度上会影响燃料的燃尽特性；烟气脱硝技术因喷入氨水也会对燃烧过程和系统的排气量产生影响。因此，采用组织燃烧及烟气脱硝技术必须兼顾脱硝效率和水泥熟料生产正常稳定所需要的热工制度之间的平衡关系。

3.0.2 水泥工厂脱硝工程可采用的主要脱硝技术为采用低NO_x燃烧器、燃料分级燃烧、三次风分级助燃、烟气脱硝、工艺优化改造及熟料矿化剂应用等。其中，组织燃烧脱硝技术的应用主要体现在对现有水泥工艺系统的优化上，不消耗还原剂，有较好的经济与环境效益，应该优先选择。烟气脱硝技术主要应用在对脱硝效率要求较高的场合，具体技术路线的选择受到的制约因素较多，控制系统运行成本主要依靠合理选择脱硝目标值。依据国外 SNCR 技术、SCR 技术应用的技术经济指标分析论证结果以及我国 SNCR 技术推广应用的现状，条文为不同烟气脱硝技术的适用范围提供判别依据。随着 SCR 技术在催化剂生产成本指标控制方面的进步，其经济适用的范畴将对应进行调整。

3.0.3 水泥窑为24h连续运转的设备（除检修期），氮氧化物的产生集中发生在水泥窑火焰燃烧区域，窑系统烟气中的氮氧化物也随之24h连续产生。因此脱硝装置应与水泥窑同步运行，保证氮氧化物排放达标。

3.0.4 在保障供应、价格合理和使用安全的条件下，选用高浓度的氨水脱硝效果更好。烟气脱硝可选用还原剂不限于正文中提到的氨水、尿素或氨基废液，其他经验证后有脱硝效果的废弃还原剂均可使用。

4 总图运输

4.1 总平面布置

4.1.4 尿素溶解需要吸收热量,尿素溶解罐应进行伴热保温处理。

4.3 管道布置

4.3.1 还原剂是具有一定危险性的化学品,还原剂储罐四周应保证至少有一侧可驶入消防车辆,厂区管道和还原剂管道的布置不应影响消防作业和紧急疏散。

4.3.2 本条对还原剂溶液输送管道的布置作出了规定。

  5 对管道的坡度要求主要是为了保证系统停止运行时还原剂溶液排出,防止还原剂溶液在管道内积存,在管道的最低点还应设置溶液排空阀。

  6 常用的氨水还原剂浓度为15%~25%,15%的氨水凝固点为-22℃,25%的氨水凝固点为-34℃,远低于水的冰点。常用的尿素还原剂溶液浓度为20%~50%,对应的固相凝结温度在-12℃~-5℃。在实际生产过程中,脱硝系统冬季在维护、检修的时间停止运行,此时管道中残留的还原剂溶液会挥发,造成溶液浓度降低,凝固点也随之升高,寒冷地区管道内容易结冰,影响设备的运行。因此在严寒及寒冷地区,还原剂输送管道应结合当地环境温度、还原剂浓度对应凝固点,按国家建筑标准图集中《管道和设备保温、防结露及电伴热》GJBT-660 03S401的有关规定设置保温或伴热装置,伴热装置可采用热力管道或电伴热。

5 组织燃烧脱硝系统

5.0.1 由于水泥熟料生产过程中的波动性较大,窑炉工况及入窑燃料、生料和窑炉用风的轻微调整均可能引起系统氮氧化物排放特性的较大波动,为保证水泥窑系统氮氧化物排放的可控性,组织燃烧脱硝系统的设计应考虑水泥熟料生产中窑炉工况在一定范围内的波动。

5.0.2 燃料分级燃烧、三次风分级助燃的脱硝工程设施具有相对的独立性,通过比较分级燃料和分级三次风系统的运行和停运两种工况,可以得到相关参数,并计算出脱硝效率。依据国内实际运行情况,设定脱硝效率应不低于15%,同时要求采用组织燃烧脱硝技术后,窑炉不应产生严重的结皮、塌料等影响生产安全稳定运行的情况。

5.0.3 采用燃料分级燃烧技术宜充分考虑燃料的化学成分、燃烧特性对脱硝效率的影响。一般来说,含氮量高的燃料,产生的燃料型氮氧化物多一些;而高挥发分、低灰分的燃料燃烧速度快,容易形成局部高温还原气氛,往往具有较好的脱硝效率。在还原燃烧过程中,硫、氯、碱金属容易在分解炉循环富集,和碳酸钙形成低共熔点的复合化合物,导致窑炉结皮。且部分煤粉下料点下移后,煤粉在分解炉下部和烟室的耐火材料表面比例增加,易造成局部高温;由于煤粉灰分在分解炉下部和烟室的耐火材料表面比例增加,产生的低熔点矿物增加,以上几个因素将加大分解炉下部及烟室烟道形成结皮的趋势,影响系统的稳定运行。因此,更需严格控制生料的有害元素含量。入窑热生料应在预热器末级筒下料管取样分析。

5.0.4 采用燃料分级燃烧技术时,在煤磨系统能力有富余的前提下,适当降低分解炉燃料的细度,可有效加速燃料燃烧速度,加快高温还原气氛的形成,从而提升脱硝效果。在设计和生产管理过程中应充分考虑燃料细度的调整作用。

5.0.5 部分现有水泥厂燃料分级燃烧的改造工程为降低改造成本,仍采用分料阀对现有的分解炉燃料输送管道进行改造,以达到分配燃料的目的。在这样的条件下,应进行分料阀调整范围的核算,确保分料比例处于设计范围内。

5.0.6 三次风分级助燃技术将燃烧所需的空气量分成两级送入,使燃料在分解炉下部区域处于缺氧的条件下燃烧,有利于形成高温区的还原气氛;在分解炉上部区域,将燃烧用空气的剩余部分送入,成为富燃烧区,保证燃料的充分燃尽。控制进入分解炉的不同层段的生料比例和三次风进入分解炉的上下比例,以及优化燃料与助燃风的混合并提高混合物的湍流度,是影响分解炉下部高温区快速形成还原气氛的关键因素。

5.0.7 组织燃烧脱硝系统还原燃烧区域的控制应保证固体燃料在分解炉内较低的过剩空气系数条件下,通过有控制的还原燃烧,尽量多地转化为 CO、CH_4、H_2、HCN 和固定碳等还原剂,为还原气氛维持足够的时间和强度,同时保证燃料在分解炉内较高的燃尽率。

在还原气氛的控制上,还应综合考虑还原燃烧区域的结皮生长特点。燃料分级燃烧过程中,还原区域主要发生在烟室上升烟道和分解炉锥部区域,此部位喷入煤粉易出现局部高温,且易产生低熔点矿物,有结皮的风险。因此,通过燃料分级技术在保证脱硝效率的同时还应兼顾延缓窑炉结皮,保障水泥正常生产。三次风分级燃烧还原燃烧区域主要发生在分解炉柱体或管道内,燃烧气氛对结皮影响不大。

在已建成的水泥厂设计三次风上行风管时,加入点受到分解炉框架结构的限制,会影响还原燃烧区域的烟气停留时间,设计时应注意。

5.0.8 为确保分解炉内尽快形成还原气氛,在系统总拉风上应在确保窑炉系统燃料燃尽所需助燃风的前提下维持较低的过剩空气系数。通风量是否合适也应依据实际生产中烟室和上升烟道的结皮情况、防止分解炉的生料塌料等综合考虑。

5.0.9 低 NO_x 燃烧器的主要参数包括:适应燃料的类型、燃料的热值、一次风总风量、旋流风调整范围、轴流风调整范围、煤粉输送风浓度、替代燃料输送浓度、一次风总推力、一次风风压配置要求等。

6 烟气脱硝系统

6.1 一般规定

6.1.1 由于各地对环保要求的不同,烟气脱硝工艺的选择应因地制宜。烟气脱硝技术主要采用改造模式进行,在工艺选择及布置上应依据当地环保排放要求、水泥熟料生产线现有总图布置、水泥窑系统实际操作水平等进行综合考虑,确定合理的技术路线。

6.1.3 脱硝工程建筑物内应避免气流短路和倒流,减少气流死角,这有助于还原剂发生逃逸、泄漏时有害气体的稀释、外排。

6.2 还原剂储存

6.2.2 储罐组应尽可能两两配置,储罐间的间距应保证检修及紧急事故处理的安全通道要求。

6.2.3 围堰或泄漏事故排放池主要是用于在还原剂发生泄露事故时防止还原剂无组织外流和火灾蔓延。排放池和围堰内的有效容积应以池沿和围堰墙顶端下 0.2m 以下的有效容积进行计算。为便于用泵抽取回收氨水及车间排污,围堰内应预留集液坑。下雨时节,应及时排空排放池和围堰内的积水,保持排放池和围堰的有效容积。

6.2.4 检修平台用于储罐区域储罐及仪表检修维护。

6.2.5 氨水在输送过程中由于高挥发特性导致泵体内极易出现气蚀现象,宜采用防腐、防爆泵。

6.2.6 本条为强制性条文,必须严格执行。采用氨水作为还原剂时,脱硝常用氨水浓度一般在 15%～25% 之间,而浓度 10% 以上的氨水在常温空气中的氨极易挥发。氨气是一种无色而具有强烈刺激性臭味的气体,同时氨是一种碱性物质,它对接触的皮肤组织都有腐蚀和刺激作用。氨的溶解度极高，所以对人体的上呼吸道有刺激和腐蚀作用，减弱人体对疾病的抵抗力。浓度过高时除腐蚀作用外，还可通过三叉神经末梢的反射作用而引起心脏停搏和呼吸停止，氨也是一种易燃易爆的气体。从生产和职业安全的角度出发以及降低氨消耗的考虑，氨水的输送及储存必须严格控制氨气的逃逸问题。

6.2.7 储存量的要求是为了保证脱硝系统的连续运行。如果就近采用管道输送或还原剂运输距离较短，也可适当缩小储罐的容积。

6.2.9 散装颗粒尿素具有强烈的吸湿板结能力，储仓应配置机械破拱或流化风破拱装置，储仓容量不宜大于 3d 的尿素消耗量。尿素溶液储罐、尿素溶解罐的材质应为 06Cr19Ni10 以上等级的不锈钢或玻璃钢材质。尿素溶解过程采用的软化水宜控制硬度小于 $0.002 mol H^+/L$。

6.3 还原剂计量分配系统

6.3.2 多条水泥熟料生产线联合脱硝运行时，还原剂的提升泵及喷射泵可采用多用一备或二备的模式运行，但应保证每条生产线至少配置一台独立的提升泵及喷射泵，且相应的备用泵组应可实现连续切换。

6.3.3 液体中的固体杂质是影响喷枪使用寿命的最大因素，在设计上应严格按照喷枪的最大固体杂质粒度选择相应的过滤器，生产维护应建立过滤器的定期检修制度。

6.3.4 在喷射控制上，由于水泥窑尾系统废烟气需要作为生料烘干用风，并进行尾气净化处理后才经烟囱排放，烟囱在线烟气监测系统（CEMS）对于 NO_x 的检测往往有较长的延时滞后。在水泥熟料生产过程中，在最上级旋风筒出口的管道上通常设有供窑尾生产监控使用的在线烟气监测系统，可以实现窑尾烟气的 O_2、CO、NO 等其他的含量监测，此监测点离燃烧区域近、延时短，可用于实时过程监控,快速反馈调控脱硝系统的工艺参数,减少氮氧化物的排放,应优先用作反馈控制信号。

6.3.5 流量调整控制也可采用水泵电机的变频控制、回流管道阀门开度、主管道阀门开度等各种调节方式组合控制。

在还原剂流量分配装置中配置气液两路的压力检测或流量监测装置,主要是为了保证还原剂液体及压缩空气基本均匀分配至各喷枪,确保喷射雾化效果。

6.4 SNCR 系统的喷射系统

6.4.2 喷射系统手动调整模式主要用于脱硝工程调试阶段。

6.4.3 喷射位置应考虑对分解炉内温度场、烟气流场、烟气成分分布等因素的综合影响,并保证氨气逃逸达标。喷枪的重要参数包括喷枪的几何特征、雾化喷射的角度和初始速度、雾化平均直径、雾化粒度分布等,实际生产中应通过匹配喷枪的工作压力及各喷枪的组合优化,改变还原剂在分解炉内扩散方式及混合途径,确保脱硝反应的顺利进行。

配置水冷(或风冷)装置是保护喷枪免受高温损伤,提高使用寿命的必要手段,且分解炉内的烟气中含有一定浓度的 SO_2,会对金属材质的喷头造成较强的腐蚀。水冷(或风冷)装置的主要作用是喷射系统暂时停止工作时,防止喷枪在高温下的损伤,同时通过冷却的方式可显著降低高温下金属的硫腐蚀。

6.4.6 宜利用现有窑尾系统的温度监测信号,当温度测点位置不满足要求时,宜配置独立的温度仪表。

6.5 SCR 系统

6.5.1 本条参考了火电厂有关规范《火电厂烟气脱硝工程技术规范选择性催化还原法》HJ 562—2010,主要目的为防止催化剂中毒。

6.5.2 采用模块化布置的催化剂初装层,主要是方便维护管理。

催化剂的寿命一般为16000h～24000h,更换催化剂是经常性的维护工作,在线更换时初装层及备用层是经常彼此切换的。

6.5.4 氨气在空气中的爆炸极限为15%～28%(氨气体积比)。在氨气/空气混合物喷入反应塔进行稀释分散的过程中,考虑到SCR系统反应温度较高,故设置12%的氨气体积比上限,防止雾化过程中出现爆炸风险。

7 电气自动化

7.1 电 气

7.1.1 本条规定了电机及电气仪表设备的防爆要求。在封闭的还原剂储存区域内,所有电气设备均应采用防腐、防爆型(DⅡ氨防爆类)。在烟气脱硝过程中所用的还原剂极易挥发出具有易燃、易爆和强腐蚀特性的氨气,所有有可能接触到氨气的仪表、电气设备(如压力流量仪表、按钮盒、磁力启动器等)应按照氨气腐蚀的要求选择防腐、防爆等级。

7.1.4 在发生火灾时,非消防线路的停电应不会引发更严重的后果,如爆炸、加剧火灾等。电气的应急切断应严格遵循控制事故损失最小化的原则进行。

7.2 自动化控制

7.2.2 本条规定了脱硝控制系统主要建设方式,原则上脱硝系统不设置独立的脱硝控制室,而应尽可能利用现有的中央控制室。

7.2.3 脱硝系统采用 PLC 系统控制,并与水泥生产线 DCS 系统进行数据通讯,即可满足脱硝系统运行控制和监测管理所需要数据记录及调阅历史记录的功能,采用 PLC 系统与 DCS 系统在功能上没有本质的区别。

7.2.4 同时具备中央集中控制和现场控制两种运行模式条件时,应优先采用中央集中控制模式运行。

7.2.6 脱硝工程运行往往采用窑尾烟囱处的环保监控信号作为系统监测信号。在使用脱硝系统全自动化运行模式时,在中央控制室输入氮氧化物设计排放值后,往往 3min~5min 后窑尾烟囱处氮氧化物才能达到设计排放值要求,即脱硝系统的控制有延时性。在设置脱硝自动控制时应充分考虑延时性特点,提高脱硝系统运行的稳定性和可靠性。

7.2.7 脱硝工程供电应与窑主传动电源保持一致,优先取自窑尾电气室;脱硝系统单独专线供电,设备集中供电。

7.3 监测与报警

7.3.1 本条主要说明维持脱硝控制系统稳定运行必不可少的监测及控制信号,部分的信号来自现有水泥熟料生产线系统。生产负荷包括水泥熟料生产系统的投料量、用煤量、处置废弃物时的替代原、燃料投加量。

7.3.2 本条中氨气浓度低于 $30mg/m^3$ 的有关规定来自国家现行标准《工作场所有害因素职业接触限值 第1部分:工作场所化学有害因素职业接触限值》GBZ 2.1。

7.3.3 本条主要说明脱硝系统的报警控制信号。监控系统故障报警主要是保证环境排放安全且监控数据记录的连续、可靠;氨气逃逸报警则是保证现场人员健康安全;液位限位报警和设备报警及设备保护动作主要是通过连锁关系保证脱硝设备、系统运行的正常,设备运转异常时的环境排放安全。此类报警信号应依据等级不同在中控及现场采用声或光信号,提醒相关工作人员及时处理。

7.4 数据采集记录

7.4.1 本条主要说明脱硝控制系统运行常用的数据记录参数要求,数据记录信号不仅要保证脱硝系统正常生产和正确操作,也应按照当地环保监察单位所要求的脱硝系统数据采集要求进行针对性的实施。

8 施工及调试

8.2 烟气脱硝工程施工

8.2.9 本条主要说明泵的安装要求。泵的驱动机轴与泵轴、泵的驱动机轴与变速器轴以联轴器连接时,联轴器的径向位移、端面间隙、轴线倾斜应符合现行国家标准《机械设备安装工程施工及验收通用规范》GB 50231 的有关规定;泵的驱动机轴与泵轴采用皮带连接时,两轴的平行度、两轮的偏移应符合现行国家标准《机械设备安装工程施工及验收通用规范》GB 50231 的有关规定。

8.3 电气与自动化控制系统施工

8.3.2 由于脱硝工程主要是作为改造工程实施的,电源线与信号线、控制线的敷设受到现场制约条件较多,从实际的电气控制运行看,控制信号较容易受到现场不规范作业施工引起的信号干扰的制约,对实现脱硝系统自控有明显的影响,故制定本条规定。

8.4 脱硝工程的调试运行

8.4.1 在脱硝过程的试运转过程中,应依据脱硝工程的技术原理、熟料烧成系统的主要影响方面等具体因素,结合水泥熟料生产过程的管理合理进行调整,并按照脱硝工程的设计要求预先对水泥熟料生产系统的工艺操作进行合理调整,保证脱硝工程调试的顺利启动。

8.4.3 还原剂输送泵、提升泵、喷射泵等液体泵的空载试车,可采用厂区的自来水或消防水作为介质进行空载试运转工作。高寒地区可采用防冻液进行空载试运转。

9 工程验收

9.0.5 脱硝系统性能考核报告或性能测试报告应依据当地环保验收要求进行,主要性能参数的检测和记录应依据环保验收的各要素展开。

9.0.6 脱硝系统性能考核报告或性能测试报告所包括的参数应依据当地环境保护管理部门的相关规定进行合理调整。

9.0.7 脱硝工程的试运行验收测试或考核可结合当地环境保护部门进行工程竣工验收的规定或要求展开。

9.0.8 本条规定了脱硝工程设备验收及移交准备工作。设备到厂后安装单位应进行外观检查和开箱检查,依据设备安装图和生产厂家提供的装箱清单,会同建设单位认真查对设备编号、规格、数量及有无外观缺陷,经建设单位代表确认后完成设备开箱检查记录。安装单位应妥善保管随箱资料,并在项目完成后移交建设单位。

10 运行与维护

10.2 人员与运行管理

10.2.2 脱硝系统的技术管理是保证脱硝工程有效经济运行的关键,脱硝工程的效能主要依靠对水泥工厂自身烧成工艺制度的优化达成。通过配置专职的脱硝技术管理人员,可以对工厂的脱硝运行进行分析总结,通过合理的调整生产要素,降低脱硝系统的运行成本。

10.2.3 培训的目的是使管理和运行人员能够系统地掌握正常运行的操作和应急情况的处理措施。

10.2.4 脱硝工程的岗前培训和在岗的继续教育学习必须严格进行。

10.2.5 脱硝工程生产记录应依据当地环境保护部门的规定进行制定,并依据现有生产线的生产记录模板进行合理调整。中控操作记录主要应由中控兼职操作人员完成,采用组织燃烧脱硝技术的系统,燃烧操作调整应添加在现有的水泥窑烧成系统中控记录上,应记录三次风压力、三次风阀门开度、三次风分风阀门开度、燃料分级阀门开度、还原燃烧区域温度(可就近参考分解炉中下段某处温度)、C4 分料阀开度。采用烟气脱硝技术的系统,应记录各个储罐液位、主路阀门开度、支路阀门开度、还原剂液体回路压力、传感器压力、气路阀开度、气路压力、还原剂流量、还原剂浓度、C1 出口氧气浓度、C1 出口氮氧化物浓度、窑尾烟囱出口氧气浓度、窑尾烟囱出口氮氧化物浓度。

10.2.6 脱硝系统的技术管理是保证脱硝工程有效经济运行的关键,脱硝工程的效能主要依靠对水泥工厂自身烧成工艺制度的优化达成。配置专职的脱硝技术管理人员,可以对工厂的脱硝运行进行分析总结,通过合理的调整生产要素,降低脱硝系统的运行成本。

10.3 维 护 保 养

10.3.4 脱硝系统检修维护时应严格执行断电、挂牌作业制度,这是人身安全的保障措施之一。

11 环境保护

11.0.2 烟气脱硝工程形成的二次污染物主要包括窑尾烟囱逃逸的氨气、还原剂储存过程中泄漏的氨气、采用组织燃烧脱硝技术时窑尾烟囱出口的 CO 等。

11.0.3 本条第 2 款为强制性条款，必须严格执行。失效催化剂应根据国家规定的危险废物鉴别标准和鉴别方法认定，经鉴别属于危险废物的失效催化剂，应严格执行《危险废物转移联单管理办法》的有关规定，送交专业处置公司进行安全处置，不得随意丢弃。危险废物的储存场地及设施在现行国家标准《危险废物贮存污染控制标准》GB 18597 中有明确的设计规定，在设计水泥厂内的专用储存设施时应严格执行。

11.0.4 控制氨气逃逸时需要注意的是，部分水泥熟料生产企业所用的原料中具有铵盐成分，石灰石中的铵盐通常达到 15ppm～40ppm，砂岩和黏土矿物则在 60ppm～100ppm，此部分铵盐在进入水泥窑系统低温区域后将分解释放氨气，氨气逃逸的处理方案应予以考虑。

12 劳动安全与职业卫生

12.0.1 烟气脱硝系统采用或挥发出的氨气属于腐蚀性化学品，在运输、储存及使用过程中存在易燃、易爆的危险，因此，在设计、工程建设、生产管理等过程中应完善安全教育，制定应急救援预案，保证生产工作人员的人身安全。

脱硝工程试生产期间，建设单位与设计单位应联合完成相应的职业卫生和劳动安全管理规定，建立相应的制度，依据工厂的安全管理规定，在试运行期间至少组织1次安全卫生应急演习，运行期间应定期进行安全培训教育。

12.0.2 本条为强制性条文，必须严格执行。还原剂运输、储存过程中有氨气逃逸及氨水泄漏的风险，一旦发生超过标准的泄漏，将会对现场人员带来呼吸道不良刺激、皮肤腐蚀等职业危害，影响人员健康，同时，储存区域内的氨气浓度达到一定程度时还存在燃爆的危险，因此还原剂储存区域应配置安全防护设施。

12.0.6 脱硝工程配置的防护用品包括化学防护服、防毒面具、手套、自给式呼吸器、应急药品等。